La farce de

Louis-Maurice Boutet de Monvel (1851-1913) peignait des tableaux historiques et des portraits. Il traitait ces sujets classiques et traditionnels selon une esthétique symboliste.

C'est lorsqu'il a travaillé pour les enfants que ce mélange a donné les meilleurs résultats.

En choisissant d'illustrer cette farce du Moyen Age, La Fontaine ou encore la Légende de Jeanne d'Arc, Boutet de Monvel réussit à concilier son passéisme sentimental et les exigences artistiques de son temps. La rigueur dépouillée de son trait, le soin qu'il apporte à la composition font de ses dessins des exemples de simplicité.

© 1989, l'école des loisirs, Paris
Maquette et composition : Sereg, Paris
Loi numéro 49.956 du 16 juillet 1949 sur les publications
destinées à la jeunesse : octobre 1989
Dépôt légal : mai 1999
Imprimé en France par l'imprimerie Hérissey à Évreux - N° 83834

La farce de Pathelin

Adaptation d'une farce du XVe siècle
par E. Dupuis

Illustrations de
Louis-Maurice Boutet de Monvel

Médium
11, rue de Sèvres, Paris 6e

Personnages

Maître Pierre Pathelin, *avocat.*
Guillemette, *sa femme.*
Le drapier Guillaume.
Le berger Agnelet.
Le juge.

La scène est en Normandie, au XIVe siècle.

La farce de Pathelin

Acte premier
Scène première
Dans la maison de maître Pathelin.

PATHELIN: Décidément, je ne sais pas comment cela se fait, mais, de quelque façon que je m'y prenne, quelque adresse que j'emploie, je ne peux pas gagner d'argent. Si, au moins, je plaidais comme jadis!

GUILLEMETTE: Dame! ça ne ferait pas de mal; mais sûrement on ne te trouve plus de si bon conseil, puisque personne ne vient te chercher. On t'appelle même avocat sous l'orme.

PATHELIN: Oui, attendez-moi là... vous m'attendrez longtemps...

GUILLEMETTE: Nous aurions bien besoin pourtant de remplacer nos habits, qui sont usés, râpés, troués.

PATHELIN: Eh bien, je veux te prouver mon habileté; tu verras si je ne saurai pas nous procurer et robe, et chaperon, et tout ce qu'il nous faut!

GUILLEMETTE: Par tromperie, alors?

PATHELIN: Non, non; pas par tromperie, mais bien par l'éloquence de ma parole.

GUILLEMETTE: Songe que le dupeur est souvent dupé.

PATHELIN: Assez bavardé comme cela; je vais courir la ville, et, si je vois quelque chose de ménage qui puisse convenir à ma gentille petite femme, je le lui apporterai. Qu'est-ce qu'elle dirait si je revenais avec une bonne pièce de drap pour lui faire, et à moi aussi, une belle robe?

GUILLEMETTE: Et comment t'y prendras-tu? Tu n'as ni sou ni maille*.

PATHELIN: Ne t'inquiète pas de cela. Sois seu-

*Maille, petite pièce de monnaie.

lement sûre que, si je me mets en tête d'avoir ce drap, je l'aurai, et à ton goût même. Voyons, quelle couleur préfères-tu? du gris-vert? du bleu?...

GUILLEMETTE, *riant*: Qui emprunte ne choisit guère.

PATHELIN, *comptant sur ses doigts*: Nous disons donc deux aunes* pour toi et trois, quatre même, pour moi.

GUILLEMETTE: Ah çà! sur qui donc comptes-tu pour te prêter l'argent?

PATHELIN, *sans lui répondre*: Donc, tu dis que du gris-vert te plairait. Et il faudra aussi que je songe à la doublure; une bonne doublure en futaine. (*Il sort.*)

Scène II
La place devant la boutique de maître Guillaume.

PATHELIN, *arrivant sur la place*: Çà! pour parvenir à mes fins, il faut que je déploie toute mon habileté.

*L'aune de Paris, aujourd'hui remplacée par le mètre, avait 3 pieds 7 pouces 8 lignes ou 1 m 194 mm; l'aune de Flandre, 0 m 7106. L'aune du drapier Guillaume devait avoir 1 m 187 mm, environ.

(S'adressant à maître Guil-laume qui est sur le pas de sa porte.) Dieu vous aide, messire.

MAITRE GUILLAUME: Et vous pareillement.

PATHELIN: Comment va la santé, maître Guil-laume?

MAITRE GUILLAUME: Pas mal.

PATHELIN: Et les affai-res?

MAITRE GUILLAUME: Couci-couça. Elles ne marchent jamais comme on voudrait.

PATHELIN: Quel digne homme c'était que feu monsieur votre père! Dieu veuille avoir son

âme! Vous lui ressemblez, c'est étonnant! Qui vous voit croit le voir en personne.

MAITRE GUILLAUME: On ne m'a jamais dit ça.

PATHELIN: Vraiment! Ah bien! moi, il y a longtemps que je l'ai remarqué. *Tâtant le drap.* Que ce drap est fin et souple; on en a plein la

main. C'est du drap d'Angleterre?

MAITRE GUILLAUME: Du drap d'Angleterre!
Pas du tout, c'est du drap fabriqué, et bien, avec

la laine de mes moutons.

PATHELIN: J'étais venu ici sans intention de rien acheter et seulement pour le plaisir de causer avec vous; mais vraiment ce drap me tente... Oui, il faut que vous me vendiez de quoi en faire une cotte à moi et à ma femme.

MAITRE GUILLAUME: Parlez, je suis tout à votre service, et je vous couperai tout ce que vous voudrez. Ce bleu-là vous plaît-il?

PATHELIN: Oui; mais, auparavant, dites-moi ce que vaut l'aune.

MAITRE GUILLAUME: Voyons, je ne veux pas marchander et je vais vous dire tout de suite mon dernier mot.

PATHELIN: C'est cela.

MAITRE GUILLAUME: Eh bien! pour vous, ce sera vingt-quatre sous l'aune.

PATHELIN: Oh! oh! vingt-quatre sous! C'est cher!

MAITRE GUILLAUME: C'est ce qu'il me coûte, sur ma parole.

PATHELIN: Oh! non, non; c'est trop cher! Voyons, vingt sous?

MAITRE GUILLAUME: Impossible! Je vous assure que je ne gagne rien en vous le vendant vingt-quatre sous.

PATHELIN: S'il en est ainsi, je le prends sans débattre davantage. Ainsi, aunez.

MAITRE GUILLAUME: Combien vous en faut-il?

PATHELIN: Pour moi, trois aunes, et pour ma femme, deux et demie; elle est grande... Et même, tenez, je prendrai les six aunes; j'aurai de quoi me faire un chaperon.

MAITRE GUILLAUME: Donc, aunons.
(Il mesure).
Une, deux, trois, quatre, cinq et six. Aunerai-je une seconde fois?

PATHELIN: Non, avec vous je sais qu'il n'y a pas à se défier. Eh bien! combien cela fait-il?

MAITRE GUILLAUME, *après avoir coupé l'étoffe et portant des chiffres à la craie sur sa porte:* Six aunes à vingt-quatre sous, cela fait neuf francs.

PATHELIN: Que d'argent! Voulez-vous me faire crédit et venir les toucher chez moi? Je vous payerai en or. Par la même occasion vous boirez un verre de vin avec moi et vous aurez votre part d'une oie que ma femme est précisément occupée à faire rôtir en ce moment même.

MAITRE GUILLAUME: Une oie! Ah! vous m'ensorcelez. Eh bien! allez devant; je vous suis et je vous porterai le drap.

PATHELIN: Ne prenez donc pas cette peine. Je le porterai bien moi-même.
(Il met le drap sous son bras).
Ah! nous allons boire un bon coup, allez! Chez moi, on ne se prive de rien. Je vais devant. Venez quand vous voudrez.

MAITRE GUILLAUME: Et surtout tenez-moi mon argent prêt.

PATHELIN: C'est dit. A tout à l'heure; surtout ne tardez pas.
(Il sort).

MAITRE GUILLAUME, *seul:* Ma foi, j'ai fait une

bonne affaire; je l'ai mis dedans.

A-t-on vu jamais un nigaud pareil! Payer vingt-quatre sous du drap qui n'en vaut pas vingt!

Maître Pathelin a beau passer pour un fin renard, il n'est si fin qui ne trouve plus fin que lui!

Acte II
Scène première

Chez Maître Pathelin. C'est un intérieur modèle du XIVe *siècle. Lit carré entouré de rideaux, à gauche.*

PATHELIN, *arrive en courant, portant le drap sous sa robe:* Eh bien! en ai-je?

GUILLEMETTE: De quoi?

PATHELIN: En ai-je? Est-ce du beau et du bon

drap que ceci?

    GUILLEMETTE: Sainte Vierge! D'où vient-il et qui le payera?

PATHELIN: Ne te tourmente pas; il est payé.

GUILLEMETTE: Payé?

PATHELIN: Oui, et celui qui le vendit est pour-

tant un habile homme, qui ne lâche pas facilement sa marchandise.

GUILLEMETTE: Mais enfin combien te coûte-t-il?

PATHELIN: Qu'est-ce que cela te fait, puisqu'il est payé?

GUILLEMETTE: Payé! Tu n'avais ni sou ni denier! Tu auras fait pour l'obtenir quelques-unes de ces belles promesses qui ne te coûtent guère. Et qui a fait ce beau marché avec toi?

PATHELIN: C'est un certain Guillaume qui demeure là-bas, de l'autre côté de la ville.

GUILLEMETTE: Comment as-tu pu le décider?

PATHELIN: J'ai su si bien le prendre, je lui ai fait tant de compliments!... Je lui ai dit que son père était au mieux avec nous, qu'il nous

17

confiait volontiers sa marchandise... J'ai si bien fait, enfin, qu'il m'a coupé six aunes de son plus beau drap.

GUILLEMETTE: Cela me rappelle certaine fable : un corbeau était assis sur un poteau de cinq à six toises de hauteur, tenant fromage au bec. Un renard vint à passer. Il se dit aussitôt : «Comment faire pour avoir cet appétissant fromage?» Il se poste en face du perchoir du corbeau. «Ah! fait-il, que tu es joli! que ton chant est mélodieux!» Le corbeau, voulant montrer qu'il méritait les compliments qu'on lui fait, ouvre le bec pour chanter. Son fromage tombe à terre, et le renard le happe. Tu as fait de même. Ce drap, tu l'as happé, en usant, comme le corbeau, de beau langage.

PATHELIN: Tu as deviné ma femme ; le marchand m'a auné le drap ; je l'ai pris bien vite et je te l'apporte. Eh bien! il doit venir ici tantôt, ce maître Guillaume, pour manger de l'oie et surtout pour chercher son argent ; je vais me coucher, je ferai le malade, et, quand il viendra, tu lui soutiendras que je n'ai pas quitté le lit depuis six semaines.

GUILLEMETTE: Je ferai ce que vous voudrez ; je suis votre femme, il faut bien que je vous obéisse : mais ce n'est guère honnête, ce que vous faites là. Ne craignez-vous pas un peu la justice ?

PATHELIN: Qui ne risque rien n'a rien : je ne veux pas payer ce drap et je veux le garder... Mais surtout ne va pas rire.

GUILLEMETTE: Je sangloterai plutôt.

Scène II
(On frappe à la porte).
Pathelin disparaît derrière les rideaux du lit en faisant un signe à sa femme pour lui recommander la circonspection.
(On frappe de nouveau).

GUILLEMETTE *va ouvrir: (Bas).* Ne frappez pas si fort, messire, s'il vous plaît.

MAITRE GUILLAUME: Dieu vous garde, dame.

GUILLEMETTE: Plus bas !

MAITRE GUILLAUME: Plus bas ? Pourquoi plus bas ?

GUILLEMETTE: Le bruit lui donne la fièvre.

MAITRE GUILLAUME: A qui ?

GUILLEMETTE: A qui? Mais à mon mari donc! A maître Pierre Pathelin.

MAITRE GUILLAUME: C'est justement à lui que je veux parler.

GUILLEMETTE: A lui, le pauvre homme! Et comment pourriez-vous lui parler? Ne savez-vous pas qu'il est au lit, et très malade?

MAITRE GUILLAUME: Malade?

GUILLEMETTE: Je crois qu'il fait un petit somme pour l'instant. Il est un peu plus calme.

MAITRE GUILLAUME, *comme ahuri:* Qui, plus calme?

GUILLEMETTE: Mon mari.

MAITRE GUILLAUME: Qui est votre mari?

GUILLEMETTE: Je vous l'ai déjà dit: maître

Pierre Pathelin.

Maître Guillaume: Malade! je l'ai vu il n'y a
pas une heure.

GUILLEMETTE: Lui! Vous rêvez! Il n'a pas bougé d'ici depuis six semaines.

MAITRE GUILLAUME: Comment! il n'est pas venu tout à l'heure chez moi et il ne m'a pas acheté six aunes de drap?

GUILLEMETTE: Vous rêvez, vous dis-je.

MAITRE GUILLAUME: Enfin, qu'il soit malade ou non, payez-moi.

GUILLEMETTE: Est-il possible de se moquer comme cela du pauvre monde?

MAITRE GUILLAUME: Vous êtes folle; il me faut mon argent tout de suite: neuf francs.

GUILLEMETTE: Faites-moi le plaisir de passer votre chemin sans m'importuner davantage.

MAITRE GUILLAUME: Que...

GUILLEMETTE: Chacun n'est pas comme vous en train de rire!

MAITRE GUILLAUME: C'est assez de discours comme cela: faites-moi venir maître Pierre.

GUILLEMETTE: Vous savez bien que c'est impossible.

MAITRE GUILLAUME: Suis-je pas ici chez maître Pathelin.

GUILLEMETTE: Sans doute.

MAITRE GUILLAUME: J'ai bien, je crois, le droit de demander ce qui m'est dû.

GUILLEMETTE: Oui; mais parlez plus bas.

MAITRE GUILLAUME: Commencez par me payer; je ne parlerai plus alors, ni bas ni haut.

GUILLEMETTE: Ah çà! nous n'en finirons donc pas! Quand je vous dis qu'il y a plus de six semaines qu'il n'est sorti de son lit! Je me lasse à la fin d'entendre toujours répéter la même chose!

MAITRE GUILLAUME: Vous voulez que je parle bas, et vous, vous criez à tue-tête!

GUILLEMETTE: C'est qu'aussi vous me mettez en colère!

MAITRE GUILLAUME: Il me faut le prix de mon drap!

GUILLEMETTE: Je ne comprends rien à ce que vous me dites. Quel est ce drap dont vous me parlez?

MAITRE GUILLAUME: Six aunes de drap bleu que je lui ai remis tantôt, à lui-même, et qu'il a emporté.

GUILLEMETTE: Il est bien en état d'aller choisir du drap, le pauvre homme!

MAITRE GUILLAUME: Mais enfin, ce mal l'a

donc pris tout d'un coup?... Et dire qu'on a tant de mal à gagner son pauvre argent!... Chaque fois que je fais crédit, je m'en repens.

PATHELIN, *d'une voix dolente, derrière le rideau:* Guillemette! Eh! Guillemette!

GUILLEMETTE: Qu'est-ce que tu veux mon homme?

PATHELIN: Un peu d'eau de rose, Guillemette! Viens me hausser la tête, Guillemette!... *(Avec impatience)* Eh bien! viendras-tu quand je t'appelle?... A boire!...

MAITRE GUILLAUME: Il a l'air malade en effet.

GUILLEMETTE: Vous qui ne vouliez pas me croire.

PATHELIN: Guillemette, viens remonter ma couverture... Pourquoi as-tu ouvert la porte toute grande?... Ote-moi ces gens noirs qui volent là... Mamara carimari carimara!... Vite, vite, Guillemette!

GUILLEMETTE: Vous voyez comme il se démène.

PATHELIN: Vite, vite, Guillemette! Oh! que je souffre, que je souffre!... Vois-tu ce moine noir qui vole dans la chambre!... Au chat! au chat!

GUILLEMETTE: Tu t'agites trop, mon pauvre homme.

PATHELIN: Les médecins me tuent avec leurs drogues.

GUILLEMETTE, *à maître Guillaume:* Que faire contre un tel mal?

MAITRE GUILLAUME: Est-il vraiment malade? Pourtant il est venu chez moi ce matin...

GUILLEMETTE: Comment pouvez-vous soutenir une chose pareille, quand vous voyez dans quel état il est?

MAITRE GUILLAUME, *à Guillemette:* C'est possible, mais enfin... *(A Pathelin toujours caché).* J'ai besoin de mon argent, maître Pathelin, pour le drap que vous avez pris ce matin.

PATHELIN: Vous parlez de cette médecine que vous m'avez ordonnée ce matin! Faut-il que j'en prenne une autre?

MAITRE GUILLAUME: Il ne s'agit pas de médecine! Il s'agit de six écus, ou neuf francs, que vous me devez.

PATHELIN: Je vous en prie, ne me donnez plus de ces pilules si amères! Elles m'ont laissé un mauvais goût dans la bouche. Ni pour or ni pour argent, je ne veux plus en prendre.

MAITRE GUILLAUME: Mes neuf francs; il me les faut!

GUILLEMETTE: Est-il possible de tourmenter ainsi un pauvre malade?

MAITRE GUILLAUME: Mais, enfin, comment cela lui est-il arrivé, car ce matin il ne m'a pas semblé...

GUILLEMETTE: Mon cher messire, si vous m'en croyez, vous retournerez chez vous.

MAITRE GUILLAUME: Pas avant d'être payé et d'avoir mangé de l'oie.

GUILLEMETTE: De l'oie?

MAITRE GUILLAUME: Oui; n'avez-vous pas une oie au feu?

GUILLEMETTE: Une oie! Elle serait bien à sa

place ici! Est-ce que l'oie est une nourriture de malade? Allez manger de l'oie ailleurs et laissez-nous tranquilles.

MAÎTRE GUILLAUME: Enfin... il me semble pourtant... Je croyais, je crois encore, que vous avez à moi une pièce de drap de six aunes... Mais cette femme me tient de tels discours que vraiment... Est-ce que, par hasard, maître Pierre ne l'aurait pas emportée?... Si fait, si fait; il l'a mise sous son bras en me faisant de belles promesses... Est-ce que?... Je n'y comprends rien. *(Il sort).*

Scène III

PATHELIN, *passant la tête par l'entrebâillement du rideau:* Est-il parti?

GUILLEMETTE: Paix! il pourrait revenir sur ses pas. Attends un peu, que j'écoute s'il s'éloigne. *(Elle va à la porte et prête l'oreille.)* Oui, il s'en va en grommelant.

PATHELIN: Puis-je me lever?
(Il se lève et paraît dans son costume de nuit.)

GUILLEMETTE: Garde-t'en bien, notre homme! S'il se ravisait! *(Après un moment de silence.)* Je ne peux pas m'empêcher de rire en me rappelant la figure qu'il faisait tout à l'heure.

(Ils se mettent tous deux à rire aux éclats.)

PATHELIN: Tais-toi, de peur qu'il ne t'entende.

(On frappe à la porte.)

MAITRE GUILLAUME, *du dehors:* Holà! Ouvrez!

GUILLEMETTE: Qu'est-ce que je disais! Le voilà revenu. Est-ce qu'on crie comme cela?

(On entend le drapier frapper violemment à la porte. Aussitôt, Pathelin, qui n'a pas le temps de se recoucher, s'affuble avec les ustensiles qui lui tombent sous la main; il enfourche un balai, et, coiffé d'une casserole, il se met à courir à travers la chambre. Guillemette ouvre au drapier.)

MAITRE GUILLAUME: Je viens voir si vous avez fini de rire.

GUILLEMETTE: Rire quand mon pauvre homme est si malade! Il rêve, je ne sais ce qu'il a dans la tête: il chante.

MAITRE GUILLAUME: Assez de grimace; qu'on me paye!

PATHELIN: Des lanternes! des lanternes!

MAITRE GUILLAUME: Qu'est-ce qu'il veut dire avec ses lanternes? Payez-moi mon drap en or, en argent, comme vous voudrez. Je ne vous demande que mon dû, je crois.

GUILLEMETTE: C'est-à-dire ce que vous vous

29

imaginez qu'on vous doit. Vous me faites l'effet
de ne pas être dans votre bon sens plus que mon
pauvre homme!

MAITRE GUILLAUME:
Cela m'enrage à la fin qu'on fasse semblant de ne pas m'entendre.

GUILLEMETTE: Ah! Quelle niaiserie!

MAITRE GUILLAUME:
Que le diable m'emporte si je fais plus jamais crédit à personne! Malade! il l'est comme moi!

PATHELIN, *chantant, en patois limousin, sautant et grimaçant, simule l'incohérence du délire:*

Toutefou la coronade
Par fyé y m'en voul anar
Or renagne biou outre mar!
Toutefou zen dict gigone
Castuy carrible et res ne donne
Ne carillaine fuy ta none,
Que d'argent il ne me sone.
Entendez-vous, biau cousin?

MAITRE GUILLAUME: Qu'est-ce que c'est que ce langage-là?

GUILLEMETTE: C'est du patois limousin; il avait un oncle de ce pays-là.

MAITRE GUILLAUME: Je vous dis qu'il a quitté mon logis en emportant mon drap.

PATHELIN: Qu'est-ce que c'est que ce crapaud que je vois là? Arrière! arrière!

MAITRE GUILLAUME: Il ne parle pas limousin maintenant. Quelle comédie nous joue-t-il là?

PATHELIN, *toujours sur son balai, courant et sautant, poursuit le drapier, en criant comme un insensé, pour ne pas lui laisser le temps de parler (cette fois en flamand):*

> D'où viens-ce, Carême prenant,
> Wacarme liefve Gonedman,
> Tel bel bighod gheveran,
> Henriey, Henriey, conselapen
> Grile, grile, shole houden
> Zilop, Zilop en non que bouden
> Disitichen unem desen versen...

MAITRE GUILLAUME: Quelle langue parle-t-il maintenant? de l'allemand? du moscovite?

GUILLEMETTE, *poussant un soupir:* Le pauvre homme! Il s'en va!

MAITRE GUILLAUME: Qui l'aurait cru quand il vint me trouver tantôt?

GUILLEMETTE: Vous vous entêtez à le croire.

MAÎTRE GUILLAUME : Oui. Pourtant maintenant...

PATHELIN : N'entends-je pas un âne braire ?

> Huiz oz bez on drone noz badou
> Degand au can en ho madou...

MAÎTRE GUILLAUME : Encore un autre langage. Il barbotte... Il bat la campagne. On ne comprend rien à ce qu'il dit.

GUILLEMETTE : Hélas ! Sa grand-mère était de Bretagne : il parle breton.

PATHELIN, *en latin :*

> Et bona dies sit vobis,
> Magister amantissime,
> Pater reverendissime,
> Quomodo brulis ? Quæ nova ?

GUILLEMETTE : Il se fera mourir à force de parler. Hélas ! hélas ! il va bientôt me laisser toute seule ! Pauvre veuve ! Que deviendrai-je, sans sou ni maille ?

MAÎTRE GUILLAUME : Décidément, ma bonne dame, je commence à croire que votre mari est malade et que ce n'est pas lui qui, ce matin... Je m'en vais. Peut-être, avant de mourir, voudra-t-il vous entretenir en particulier et vous parler de ce que... Je vous demande bien pardon ; mais, de

très bonne foi, je croyais bien qu'il avait mon drap... Il faut que ce soit le diable lui-même qui l'ait emporté. *(Il sort)*.

Scène IV

PATHELIN: Quand je te disais que j'avais une bonne idée!... Lui en avons-nous fait accroire, au bon maître Guillaume! Il en rêvera toute la nuit prochaine. Ah! ah! il sera bien fin celui qui dupera maître Pierre Pathelin!
(Il retire le drap de sa cachette.) Mais les six aunes sont à nous!

GUILLEMETTE, *s'enveloppant dans la pièce, tandis que Pathelin garde l'autre bout dans ses mains:*
Ai-je bien joué mon personnage?

PATHELIN: Très bien, et pour la récompense, tu auras une belle robe de drap.

Acte III
Scène première
Le théâtre représente la place publique.

Maître Guillaume, *seul :* Chacun me trompe. Ce fripon de maître Pathelin n'était pas plus malade que moi ; c'était une fourberie pour  ne pas me payer. Et moi qui me flattais d'avoir fait un bon marché ! d'avoir vendu vingt-quatre sous du drap qui n'en valait pas plus de quinze ou seize ; j'ai bien réussi ! La malchance est après moi ; tout le monde me gruge. Ainsi, voilà Agnelet, mon berger, qui me vole aussi. Mais il me le payera, et je vais le citer en justice.

Agnelet, *entrant et saluant le drapier (humblement) :* Dieu vous donne le bonsoir, mon doux seigneur.

Maître Guillaume : Ah ! te voilà, truand ! Que

viens-tu faire ici?

AGNELET: C'est pour vous dire qu'il est venu
aux champs un quelqu'un qui... un quelqu'un

que... je ne me rappelle plus très bien ce qu'il m'a dit; mais enfin, il m'a parlé de vous, et d'un a-jour-ne-ment devant le juge, et de brebis, et de... je n'ai rien compris à ses paroles.

MAITRE GUILLAUME: C'est moi qui t'ai fait citer devant le juge parce que tu fais mourir mes moutons, et pour te for-cer à me rendre six aunes de... c'est-à-dire... non pas six aunes; mais pour te punir du dom-mage que tu me fais.

AGNELET: N'en croyez rien, mon doux sei-gneur; je vous assure...

MAITRE GUILLAUME: Et il te forcera bien à me rendre, avant samedi, mon drap... mon... enfin ce que tu m'as pris sur mes bêtes.

AGNELET: Quel drap, mon bon seigneur ? Je ne sais ce que vous voulez dire. Vous avez l'air courroucé contre moi.

MAITRE GUILLAUME: J'ai plus d'un sujet de l'être. Fais attention à te présenter à l'assignation.

AGNELET: Mon doux seigneur, accordons-nous ensemble, s'il vous plaît. Faites que je ne plaide pas.

MAITRE GUILLAUME: Bon ! bon ! tu t'expliqueras devant le juge ! (*Il sort.*)

AGNELET: Alors il faut que je cherche quelqu'un pour me défendre.

Scène II

(Agnelet frappe à la porte de maître Pathelin. Guillemette ouvre la porte; Pathelin avance la tête derrière sa femme.)

PATHELIN: Serait-ce encore lui qui revient ?

GUILLEMETTE: Non, Dieu merci !

AGNELET, *à Pathelin:* Messire, Dieu vous garde !

PATHELIN: Dieu te garde aussi. Qu'est-ce que tu demandes ?

AGNELET: Voilà, Messire. Mon maître m'assigne devant le juge, et je viens vous prier de prendre ma défense. Quoique je sois mal vêtu, j'ai de l'argent et je vous payerai bien.

PATHELIN: Qui es-tu?

AGNELET: Voilà, mon doux seigneur. Je garde les brebis de mon maître, et il me paye si chichement que... que... Faut-il tout vous dire?

PATHELIN: Bien sûr, puisque je suis ton conseil.

AGNELET: Eh bien! le vrai, mon doux sire, c'est que je lui ai assommé plus d'un mouton; même je choisissais les plus beaux et les plus gras; ensuite je lui disais qu'ils étaient morts de la clavelée. Mon maître s'écriait alors: «Surtout, jette-les au loin; qu'ils ne soient pas mêlés avec les autres!» Mais moi je n'avais garde. Je ne les avais tués que pour les manger. J'en ai tant fait disparaître de la sorte que, à la fin, il s'est aperçu de la chose, et comme il n'aime pas qu'on le dupe, il m'a fait épier. On a entendu crier les bêtes; on m'a pris sur le fait. Comment nier? Il m'a fait appeler devant le juge, et je viens vous prier de me défendre. Vous saurez bien trouver un moyen...

PATHELIN: Me payeras-tu bien, vraiment?

AGNELET: Je vous paye-rai, et non en sous, mais en bel et bon or à la cou-ronne.

PATHELIN: S'il en est ainsi, ta cause est bonne. Ton maître aura beau dire tout ce qu'il voudra et parler de son bon droit, il verra ce que j'en ferai, de son bon droit! Tu ne me parais pas sot: écoute ce que j'ai à te dire. Mais d'abord, comment t'ap-pelles-tu?

AGNELET: Thibault, Thi-bault l'Agnelet.

PATHELIN: Donc, Thi-bault l'Agnelet, tu as

mangé force agneaux à ton maître?

AGNELET: Un peu plus de trente en trois ans.

PATHELIN: C'est dix par an. C'est pas mal

comme ça! Eh bien, voici ce que je te propose:
c'est que d'abord, quand tu te présenteras devant le juge, tu n'aies pas l'air de me connaître.

AGNELET: Comme il vous plaira, mon doux seigneur.

PATHELIN: Maintenant, écoute. On va te faire un tas de questions qui t'embarrasseront et auxquelles tu ne peux répondre que d'une manière très préjudiciable pour toi. Donc, tout à l'heure, quand tu seras appelé devant le juge, ne dis rien, ne parle pas, et, à tout ce qu'on te dira, réponds uniquement: Bée!... le juge te criéra: «Te moques-tu de moi?» Tu feras: Bée!... «Il croit parler à ses bêtes», dirais-je. Enfin, quoi qu'on te dise, ne réponds jamais que: Bée!... bée!...

AGNELET: Bon! Je me tiendrai sur mes gardes, et, quoi qu'on me dise, je ne répliquerai autre chose que: Bée!...

PATHELIN: Même en me parlant, réponds-moi comme aux autres: Bée!...

AGNELET: C'est entendu, et dites que je deviens fou si vous entendez sortir de ma bouche autre chose que: Bée!...

PATHELIN: Quelle figure fera ton adversaire en entendant cette réplique! Mais n'oublie pas de me payer!

AGNELET: Soyez tranquille. A quelle heure et

où faut-il que je me présente devant le juge?

PATHELIN: Ici même, dans quelques instants. Et surtout rappelle-toi ce que je t'ai dit: qu'on ne se doute pas que nous nous connaissons, afin qu'on ne sache pas que c'est moi qui t'ai conseillé de répondre comme je viens de le dire. Mais n'oublie pas aussi d'apporter l'argent.

AGNELET: Soyez donc tranquille. (*Il sort.*)

PATHELIN, *seul:* Si cette affaire-là réussit, elle me vaudra quelques bons écus.

Scène III

Entre le juge; deux sergents de ville apportent une estrade, puis un fauteuil, où le juge s'assied.

PATHELIN, *au juge:* Le Ciel vous accorde tout ce que vous pouvez désirer, Monseigneur!

LE JUGE: Soyez le bienvenu et prenez place. N'y a-t-il pas quelqu'un à comparaître aujourd'hui? Vite, qu'on se dépêche.

MAITRE GUILLAUME, *entrant, au juge:* Mon avocat termine quelques affaires pressantes. Si monseigneur voulait bien patienter un moment, cela m'obligerait.

LE JUGE : Impossible ; on m'attend ailleurs. Donc, puisque vous voilà, exposez-moi vous-même votre affaire.

MAITRE GUILLAUME : Il s'agit de mon berger Agnelet. Vous saurez, Monseigneur, que, depuis son enfance, je l'ai nourri par charité. Quand il fut d'âge à aller aux champs, je lui donnai mes bêtes à garder. Croiriez-vous, Monseigneur, qu'il m'a fait périr une quantité de moutons ?

LE JUGE : Vous l'aviez à vos gages ?

MAITRE GUILLAUME : C'est sûr. *(Reconnaissant tout à coup Pathelin qui se tient près du juge en se cachant la figure avec ses mains, et s'adressant à lui.)* Que Dieu me punisse si ce n'est pas vous qui...

46

Le Juge, *à Pathelin* : Pourquoi tenez-vous ainsi la main sur votre visage, maître Pierre ? auriez-vous mal quelque part ?

PATHELIN: Jamais je n'ai souffert comme cela!
C'est une vraie rage de dents.

MAITRE GUILLAUME: Par mon salut éternel,

maître Pathelin, n'est-ce pas à vous que je vendis six aunes de drap?...

LE JUGE: Quel drap?

PATHELIN: Il ne sait ce qu'il dit.

MAITRE GUILLAUME: Que je sois pendu si vous n'avez pas emporté mon drap.

PATHELIN: Qu'est-ce qu'il chante là! Il ne sait pas s'exprimer, n'ayant pas étudié, et il veut parler sans doute du drap qui a servi à faire ma robe, et qu'il s'imagine avoir été pris sur le dos des moutons qu'il prétend lui avoir été volés.

MAITRE GUILLAUME: Que le ciel me tombe sur la tête, si ce n'est pas vous qui l'avez!

LE JUGE, *se dressant furieux:* Paix! vous êtes

fou! Ne pouvez-vous laisser là votre drap?

Pathelin, *riant et toujours la main sur sa figure:* Il ne sait ce qu'il dit, et je ne peux m'empêcher de rire en dépit de mon mal.

Le juge: Çà, revenons à nos moutons.

Maitre Guillaume: Il en prit six aunes, pour neuf francs.

Le juge: Qu'est-ce que cela signifie de parler d'aunes à propos de moutons? Où donc vous croyez-vous?

Pathelin: Il nous prend pour des bêtes à paître. Si nous écoutions maintenant la partie adverse? Justement, la voilà.
(Entre Agnelet.)

Le juge: C'est bien dit. Çà, approche, toi, et réponds à mes questions.

Agnelet: Bée!...

Le juge: Que signifie ce bée?... Me prends-tu pour une chèvre? Parle.

Agnelet: Bée!...

Le juge: Encore! Te moques-tu de moi?

Pathelin: Il se croit avec ses bêtes dans la prairie.

Maitre Guillaume, *à Pathelin:* Plus je vous regarde, et plus je suis sûr que c'est bien vous qui avez emporté mon drap. *(Au juge.)* Si vous saviez, Monseigneur, par quelle malice...

LE JUGE: Taisez-vous. Vous n'êtes pas dans votre bon sens. Laissez là votre drap et venez au principal, c'est-à-dire à vos moutons.

MAITRE GUILLAUME: Eh bien, Monseigneur, je n'en dirai plus un mot pour aujourd'hui; mais une autre fois... Donc, pour en revenir à mon affaire, je lui ai donné six aunes... non, pardon, Messire; je lui ai donné mes brebis à garder, et il m'a dit que j'aurais sans faute mes six écus... Bon! voilà que je me trompe encore... Enfin mon berger, depuis trois ans, au lieu de garder loyalement mes brebis, les faisait mourir de grands coups de bâton sur la tête; et quand il eut mis mon drap sous son bras, comme cela, pour l'emporter, il s'en alla chez lui en me disant d'aller quérir les six écus.

LE JUGE: Quel verbiage! Ce qu'il dit n'a ni rime ni raison! Vous entremêlez les moutons, le drap... Je ne vois goutte à ce que vous me contez.

MAITRE GUILLAUME: Eh bien, Monseigneur, je

ne parlerai plus du drap, c'est convenu, si je
peux faire autrement.

Le juge: Tâchez de vous souvenir de votre
promesse. Et maintenant, concluez.

Pathelin: Ce pauvre berger ne peut se défendre, il n'a pas de conseil! permettez-moi de lui
servir d'avocat.

Pathelin: Or çà, mon garçon, viens ici et dis-
moi comment je peux prouver ton innocence.

Agnelet: Bée!...

Pathelin: Bée!... N'as-tu pas autre chose à
dire que bée?...

Agnelet: Bée!...

Pathelin: Tu crois sans doute causer avec les
brebis?

Agnelet: Bée!...

Pathelin, *bas:* C'est bien; c'est cela.
(*Haut.*)
Va-t'en, puisqu'on ne peut tirer rien de toi.

Agnelet: Bée!...

Pathelin: Il t'en cuira, crois-moi, de te moquer ainsi de la justice.

Agnelet: Bée!...

Pathelin, *au juge:* Il n'y a pas à raisonner avec

lui. Je propose qu'on le renvoie à ses bêtes : il est idiot.

MAITRE GUILLAUME : Idiot ! Ah bien oui ! Il est plus avisé que vous !

PATHELIN : Ceux qui assignent en justice de pauvres créatures semblables sont bien coupables !

MAITRE GUILLAUME : Eh ! va-t-il s'en aller comme cela sans que j'äie été entendu ?

PATHELIN : Puisqu'il est fou !

MAITRE GUILLAUME : Au moins, Monseigneur, laissez-moi vous exposer ma plainte, tout au long.

LE JUGE : Inutile, vous ne faites qu'embrouiller les choses. D'abord on vous dit que ce garçon est fou. Plaide-t-on contre les fous ?

MAITRE GUILLAUME : Comment ! il s'en ira comme cela, sans que j'aie rien obtenu contre lui !

LE JUGE, *impatienté :* Et que voulez-vous obtenir ?

PATHELIN : Ne voyez-vous pas qu'il n'a pas un seul mot raisonnable à répondre ?

MAITRE GUILLAUME, *à Pathelin, en s'animant :*

Oui, vous avez emporté mon drap, maître Pierre, aussi vrai que je vis et ce n'est pas le fait d'un honnête homme !

PATHELIN: Il est fou, lui aussi !

MAITRE GUILLAUME: Fou ! Non pas, non pas, et je reconnais bien, et votre robe, et votre voix, et votre figure. Fou ! Ah bien oui ! Je vais vous conter l'affaire tout au long, Monseigneur.

PATHELIN: De grâce, Monsieur le juge, imposez-lui silence ! Pour quelques méchants moutons galeux qui ne valaient pas deux mailles, il fait

autant de bruit que s'il s'agissait de tout un troupeau.

MAITRE GUILLAUME: Il n'est pas question de

moutons pour l'instant, mais de drap. Et c'est à
vous que je parle, maître Pathelin; il me faut
mon drap et mon argent.

LE JUGE: Décidément, il m'assomme; il n'en finira donc pas avec son drap?

MAITRE GUILLAUME: Je lui demande...

PATHELIN, *au juge:* Faites-le taire. (*A maître Guillaume.*) C'est par trop bavarder. Mettons qu'il ait tué six ou huit moutons, tout au plus une douzaine, et qu'il les ait mangés; vous voilà bien en peine!

MAITRE GUILLAUME: Je lui parle drap, et il me répond moutons! Encore une fois, mes six aunes de drap, où sont-elles?

PATHELIN: Allez-vous le faire pendre pour cinq ou six moutons?

MAITRE GUILLAUME, *raillant:* Ah vraiment! le pauvre berger! (*Au juge.*) Monsieur, je demande mon drap et...

LE JUGE: Et moi je l'absous et je vous défends de recommencer le procès. C'est beau à un homme sage de plaider contre un pauvre fou! (*Au berger.*) Toi, retourne à tes moutons.

AGNELET: Bée!...

LE JUGE, *à maître Guillaume:* Vous, je vous renvoie de la plainte.

MAITRE GUILLAUME, *à Pathelin:* C'est à vous que

j'ai affaire. Vous m'avez trompé; vous m'avez emporté mon drap avec de belles paroles.

PATHELIN: Que de patience il faut!

MAITRE GUILLAUME: Vous êtes bien le plus grand fourbe... *(Au juge.)* Permettez que je vous explique...

LE JUGE: Non, tout ceci est une comédie entre vous pour égarer la justice. J'en ai assez; je m'en vais. *(A Agnelet.)* Toi, mon ami, je te l'ai déjà dit, retourne aux champs. La cour t'absout. Entends-tu?

PATHELIN, *à Agnelet:* Dis merci.

AGNELET: Bée!...

LE JUGE: Allons, va-t'en! *(Le juge sort.)*

Scène IV

MAITRE GUILLAUME, *à Pathelin:* Çà, maintenant, me payerez-vous, Monsieur le voleur?

PATHELIN: Qu'est-ce que c'est? La comédie va-t-elle recommencer? Eh bien! si vous voulez le savoir, apprenez qu'on n'a pas, comme moi, un front ridé et une tête chauve pour se laisser berner.

MAITRE GUILLAUME:
Me prenez-vous pour une bête ? Quand je vous dis que c'est vous et pas un autre qui m'avez pris mon drap ! Rien qu'à votre voix je vous reconnaîtrais. *(Le menaçant)*. Nous verrons si, un jour ou l'autre, vous ne me payerez pas mes six écus !
(Il sort.)

Scène V

PATHELIN, *au berger :* Çà, viens là, Agnelet.

AGNELET : Bée !...

PATHELIN : Eh bien, es-tu content ?

AGNELET : Bée !...

PATHELIN : Tu n'as plus besoin de dire bée !... Tu vois que ton maître est obligé de retirer sa plainte. N'ai-je pas bien plaidé pour toi ?

AGNELET: Bée!...

PATHELIN: Voyons, cesse tes Bée!... Il n'y a plus personne là pour te faire peur. Parle.

AGNELET: Bée!...

PATHELIN: Avant de partir, paye-moi.

AGNELET: Bée!...

PATHELIN: Paye-moi; c'est tout ce que je te demande.

AGNELET: Bée!...

PATHELIN: Allons, parle sagement et paye-moi, que je m'en aille.

AGNELET: Bée!...

PATHELIN: Ne bêle plus.

AGNELET: Bée!...

PATHELIN: Ah çà! te moques-tu de moi, ou serais-tu tout à coup devenu idiot?

AGNELET: Bée!...

PATHELIN: Est-ce là tout ce que tu comptes me donner pour ma peine?

AGNELET: Bée!...

PATHELIN: Ah! tu fais le mauvais plaisant!

(Le menaçant.)
Sais-tu bien à qui tu parles?
  AGNELET: Bée!...

PATHELIN: Tu m'as dit que tu avais de l'argent, que tu m'en donnerais.

AGNELET: Bée!...

PATHELIN: Je n'en tirerai pas autre chose! Voyons, si c'est pour rire, finissons-en et viens dîner avec moi.

AGNELET: Bée!...

PATHELIN: Va! si je trouve un bon sergent, je te fais arrêter et mettre en prison.

AGNELET: Bée!...

PATHELIN: Tu feras alors d'autres cris que ton éternel Bée!... Oui, je vais faire venir un sergent pour t'arrêter.

AGNELET, *se sauvant:* Il faudra d'abord qu'il m'attrape.

PATHELIN, *seul:* Me voilà bien! Je croyais être le plus habile trompeur de tous les trompeurs, et voilà que je suis refait par un simple berger des champs! Il n'y a si fin qui ne trouve plus fin que lui. Ma femme a raison. Le dupeur est souvent dupé. *(Il sort.)*

Fin

Louis-Maurice Boutet de Monvel
dans la collection lutin poche
Le corbeau et le renard et neuf autres fables
de La Fontaine
Le loup et l'agneau et onze autres fables
de La Fontaine
Chansons de France
Vieilles chansons et rondes

Louis-Maurice Boutet de Monvel
Trois grands albums de l'école des loisirs
Chansons de France
Fables de La Fontaine
Vieilles chansons et rondes